athro, [illegible] yn Lloegr, ac yn Botswana, Affrica. Fe gwrddodd â Steve Skidmore mewn ysgol yn Nottingham, a dechreuodd y Ddau Steve ysgrifennu gyda'i gilydd. Mae Steve Barlow yn byw yng Ngwlad yr Haf erbyn hyn, ac yn hwylio cwch o'r enw *Which Way*, oherwydd, fel arfer, does ganddo ddim syniad i ble mae e'n mynd.

Mae Steve Skidmore yn fyrrach ac yn llai blewog na Steve Barlow. Ar ôl pasio rhai arholiadau yn yr ysgol, aeth i Brifysgol Nottingham. Treuliodd y rhan fwyaf o'i amser yno yn gwneud ymarfer corff ac yn gweithio dros yr haf mewn swyddi rhyfedd, gan gynnwys cyfri caeadau pasteiod (wir). Hyfforddodd fel athro, cyn ymuno gyda Steve Barlow a dod yn awdur llawn amser.

Mae rhagor o wybodaeth am y Ddau Steve yma:

www.the2steves.net

YR ARLUNYDD

Mae Sonia Leong yn byw yng Nghaergrawnt, Lloegr, ac mae hi'n arlunydd *manga* enwog. Enillodd gystadleuaeth 'Sêr Newydd Manga' Tokyopop (2005-06) a'i nofel graffeg gyntaf oedd *Manga Shakespeare: Romeo and Juliet*. Mae hi'n aelod o *Sweatdrop Studios* ac mae ganddi ormod o wobrau o lawer i sôn amdanynt fan hyn.

Ewch i wefan Sonia: www.fyredrake.net

YR AWDURON

Ganwyd Steve Barlow yn Crewe, Lloegr. Mae e wedi gweithio fel

Arwr y Môr-ladron

Steve Barlow – Steve Skidmore

Darluniau gan Sonia Leong

Addasiad gan Catrin Hughes

CYFRES ARWR – ARWR Y MÔR-LADRON
ISBN 978-1-904357-69-8

Rily Publications Ltd
Blwch Post 20
Hengoed
CF82 7YR

Cyhoeddwyd am y tro cyntaf gan Franklin Watts yn 2008

Cyhoeddwyd yn wreiddiol yn Saesneg fel
iHero – Pirate Gold gan Franklin Watts
argraffnod o Hachette Children's Books, un o gwmnïau Hachette UK

Addasiad gan Catrin Hughes

Cynllun y clawr gan Jonathan Hair

Noddwyd gan Lywodraeth Cynulliad Cymru

Cysodwyd gan Wasg Dinefwr, Llandybïe, Sir Gaerfyrddin

www.rily.co.uk

Argraffwyd a rhwymwyd yn y Deyrnas Unedig
gan CPI Group (UK) Ltd, Croydon, CR0 4YY

Dewis dy dynged...

Mae'r llyfr hwn yn wahanol i lyfrau eraill y byddi di wedi eu darllen. *Ti* yw arwr yr antur y tro hwn. Ti sy'n penderfynu sut mae'r antur yn datblygu.

Mae rhif ar bob adran o'r llyfr. Ar ddiwedd y rhan fwyaf o'r adrannau, bydd gen ti ddewis. Bydd hynny'n dy arwain di i adran wahanol o'r llyfr.

Bydd rhai dewisiadau yn dy helpu i orffen yr antur yn llwyddiannus. Ond rhaid i ti fod yn ofalus – mae dewis anghywir yn gallu bod yn beryg bywyd!

Os byddi di'n methu, dechreua eto a dysga o dy gamgymeriadau.

Os byddi di'n dewis yn gywir, fe wnei di lwyddo.

Paid â methu, bydda'n arwr!

Rwyt ti'n anturiaethwr yn ystod teyrnasiad Brenhines Elisabeth I.

Ers i Elisabeth ddod yn frenhines, mae'r Brenin Philip II o Sbaen wedi bod eisiau ymosod ar dy wlad. Mae Elisabeth a'i llynges yn rhy wan i ymladd yn erbyn Sbaen; felly, yn gyfrinachol, mae'r Frenhines yn cyflogi pobl i ymosod ar longau Sbaen.

Y dewraf a'r mwyaf llwyddiannus o'r rhain yw Francis Drake. Mae e'n codi cymaint o ofn ar y Sbaenwyr nes eu bod yn ei alw'n 'El Draco' – 'Y Ddraig'.

Mae Drake a'i frawd, John, yn hwylio o Plymouth ym mis Mai 1572. Mae ganddynt ddwy long, y *Pasha* a'r *Swan*, a 73 o forwyr. Rwyt ti'n hwylio gyda nhw.

Ar ôl sawl wythnos yn hwylio dros Fôr Iwerydd, rwyt ti'n cyrraedd y Caribî, a harbwr cyfrinachol Porthladd Digonedd. Daeth Francis Drake o hyd i'r harbwr pan fu yno o'r blaen. Nawr, rwyt ti ar fin taro yn erbyn y Sbaenwyr am y tro cyntaf trwy ymosod ar harbwr Nombre de Dios.

• **Tro i adran 1**

G
n
Dn
D
GOGLEDD AMERICA
FFLORIDA
Culfor Fflorida
Ynysoedd Bahama
MÔR IWERYDD
GWLFF MECSICO
Havana
CIWBA
HISPANOLA
JAMAICA
PUERTO RICO
MÔR Y CARIBI
GUADELOUPE
DOMINICA
Santa Marta
Nombre de Dios
Cartagena
Dinas Panama
Porthladd Digonedd
Y MÔR TAWEL
Y MÔR SBAENAIDD
DE AMERICA
PERIW

1

Mae Drake yn dy alw di a'r dynion at eich gilydd. "Ein tasg yw dwyn yr aur a'r arian sy'n cael ei anfon yn ôl i Sbaen o Beriw. Gallwn ni ddefnyddio'r arian i gryfhau ein gwlad yn erbyn ymosodiadau'r Sbaenwyr. Mae peth o'r aur a'r arian wedi cyrraedd yr harbwr yn barod. Mae e yn nhŷ Rhaglaw Sbaen.

"Fe fyddwn ni'n ymosod mewn tri chwch bach. Fi fydd yn arwain y cwch cyntaf." Mae Drake yn pwyntio atat ti. "Rydw i eisiau i ti arwain yr ail." Rwyt ti'n cytuno. "Fe fyddwn ni'n ymosod heno, ar ôl iddi dywyllu."

Y noson honno, rwyt ti a'r morwyr yn sleifio i mewn i'r harbwr Sbaenaidd gyda'r hwyliau i lawr a'r rhwyfau'n dawel.

Yn sydyn, mae rhywun yn gweiddi o un o'r tyrrau gwylio sy'n edrych dros yr harbwr. Mewn eiliad, mae clychau eglwysi'r dref yn canu. Mae rhywun wedi gweld y cychod ac maen nhw'n gwybod eich bod chi ar fin ymosod.

- **Os hoffet ti ymosod, cer i 31**
- **Os wyt ti eisiau troi yn ôl, cer i 15**

2

Y noson honno, wrth i ti sefyll ar flaen y llong, rwyt ti'n clywed rhywbeth yn symud yn y tywyllwch tu ôl i ti. Cyn i ti droi, mae dwylo cryf yn cydio ynot ti ac yn dy daflu i'r môr.

Rwyt ti'n taro'r dŵr heb lawer o sŵn. Wrth i ti godi i'r wyneb, yn ymladd am anadl, rwyt ti'n gweld fod y llong wedi hwylio ymlaen. Does neb yn dy glywed yn gweiddi. Cyn bo hir, fe fyddi di'n boddi – os nad yw'r siarcod yn dod o hyd i ti cyn hynny.

- **Mae dy antur ar ben. Os wyt ti eisiau dechrau eto, tro yn ôl i 1**

3

"Mae'r llong yna'n rhy gryf i ni ar hyn o bryd," rwyt ti'n dweud wrth dy ddynion. "Fe wnawn ni ei dilyn hi a'i gorfodi i hwylio i'r gorllewin o Giwba. Bydd hynny'n mynd â ni i ddŵr bas, ble bydd gan ein llong fechan ni fantais."

Ond wrth i'r dyddiau fynd heibio, mae dy ddynion yn dechrau teimlo'n anesmwyth. Yn y diwedd, mae un dyn, Robert Pike, yn camu ymlaen. Mae e'n dweud, "Mae rhai o'r bois moyn dychwelyd i Borthladd Digonedd. Gwastraff amser yw'r siwrne hon."

Mae e'n herio dy awdurdod. Gwrthryfel yw hyn!

- **Os wyt ti'n cytuno i droi yn ôl, cer i 16**
- **Os wyt ti eisiau i dy ddynion arestio Pike, cer i 43**

4

"Ro'n i'n gwybod y gallwn i ddibynnu arnat ti," mae Drake yn dweud.

Mae e'n dangos siart o Fôr y Caribî i ti.

"Rhaid i ti ddal y galiwn yn harbwr Nombre de Dios. Os byddi di'n methu, yna bydd angen i ti rwystro'r galiwn rhag cwrdd â llynges drysor y Sbaenwyr yn Havana ar Ynys Ciwba. Os bydd hynny'n digwydd, fe fydd yna lawer gormod o longau i ti ymladd yn eu herbyn."

Mae Pedro'n siarad. "Rwy'n cynnig fod hanner y dynion yn mynd gyda Capitán Drake. Fe wnaf i a'r gweddill ddod yn aelodau o dy griw di – os wyt ti'n fodlon ein derbyn ni."

Nid morwyr yw dynion Pedro – efallai y byddan nhw'n fwy o drafferth na'u gwerth.

• **Os wyt ti'n penderfynu derbyn cynnig Pedro, cer i 33**
• **Os wyt ti am wrthod, cer i 9**

5

Mae'r capten o Sbaen yn cael ofn. Mae e'n credu fod eich ymosodiad sydyn a'ch arwyddion yn golygu fod llongau eraill o Loegr yn agos.

Mae'r galiwn yn troi i ffwrdd. Cyn bo hir, mae hi'n mynd yn sownd yn y dŵr bas rhwng ynysoedd y Bahama. Mae'r mastiau a'r rhaffau'n torri ac mae'r galiwn yn methu â symud.

- **Os wyt ti'n penderfynu dechrau tanio at y galiwn, cer i 22**
- **Os wyt ti'n penderfynu anfon cychod ati, a mynnu bod y Sbaenwyr yn ildio, cer i 34**

6

Mae'r milwyr newydd o Sbaen yn ymosod. Dydy dy ddynion di ddim yn gallu amddiffyn eu hunain oherwydd eu bod nhw'n cario bagiau trwm a bariau o aur ac arian. Mae llawer ohonyn nhw'n cael eu lladd a'u hanafu.

Rwyt ti'n sylweddoli fod y sefyllfa'n anobeithiol, ac yn dweud wrth dy ddynion i ollwng y trysor a rhedeg yn ôl at y cychod ar unwaith.

- **Cer i 11**

7

Rwyt ti'n gorchymyn fod Pike yn cael ei grogi. Mae e'n cael ei godi oddi ar y dec, â'i goesau'n cicio'n wyllt. Ar ôl i'r corff lonyddu, mae'n cael ei ryddhau a'i daflu i'r môr.

Mae ffrindiau Pike yn flin iawn. Maen nhw'n rhegi o dan eu hanadl ac yn cynllwynio yn dy erbyn di.

- **Cer i 2**

8

Rwyt ti'n cyrraedd yn ôl i Borthladd Digonedd yn ddiogel ond heb lawer i ddangos am dy antur. Yna rwyt ti'n cael rhagor o newyddion drwg.

Tra roeddet ti i ffwrdd, mae John, brawd Francis Drake wedi hwylio'r *Swan* allan i'r môr ac wedi cael ei ladd wrth geisio cipio llong fawr o Sbaen.

"Duw fo gydag e," dywed Capten Drake.

Ar ôl ychydig ddyddiau, mae Drake yn anfon amdanat ti. "Mae Pedro'n dweud fod galiwn o Sbaen wedi cyrraedd Nombre de Dios, yn barod i lwytho aur ac arian," medd Drake. "Mae e hefyd yn dweud fod yna ddwsinau o asynnod yn cludo mwy o aur ac arian ar eu ffordd yno o Ddinas Panama. Rydw i'n bwriadu ymosod ar yr asynnod. Hoffwn i ti gymryd lle John fel capten y *Swan* a chipio'r galiwn."

- **Os wyt ti'n derbyn y gorchymyn, cer i 4**
- **Os wyt ti'n gwrthod y gorchymyn, cer i 17**

9

Rwyt ti'n dweud wrth Pedro nad wyt ti angen ei ddynion. Mae e'n gwgu. Mae Drake yn edrych yn amheus, ond yn dweud dim. Nes ymlaen, wrth i ti fynd ati i gyfri'r nwyddau ar gyfer y *Swan*, mae Pedro a'i ffrindiau yn dod yn ôl. Mae rhai yn cario arfau ac yn gweiddi.

Gan ofni am dy fywyd, rwyt ti'n gorchymyn dy ddynion i'w saethu. Mae Pedro a'i ffrindiau'n cael eu lladd.

- **Cer i 24**

10

Mae ffrindiau'r morwr coll yn gofyn i ti chwilio amdano.

"Mae'n ddrwg gen i, ddynion," rwyt ti'n dweud, "dwi'n siŵr ei fod e wedi cael ei ladd wrth gwympo, ond hyd yn oed petai e heb foddi, does dim gobaith dod o hyd iddo fe ar noson mor dywyll. Os arhoswn ni, fe gollwn ni'r galiwn. Roedd pawb yn gwybod am y peryglon wrth ddechrau ar y daith."

Mae'r dynion yn ysgwyd eu pennau, ond dydyn nhw ddim yn dadlau. Nawr mae'n rhaid i ti benderfynu beth i'w wneud os wyt ti'n llwyddo i ddal y galiwn: wyt ti am frwydro, neu wyt ti am fod yn gyfrwys?

- **Os wyt ti'n penderfynu brwydro, cer i 32**
- **Os wyt ti am dwyllo'r Sbaenwyr, cer i 49**

11

Mae Capten Drake yn colli'i dymer. "Dim ond ffŵl sy'n ymladd pan mae e'n debygol o golli!" bloeddia. "Does gennym ni ddim digon o ddynion i ymosod ar y Sbaenwyr. Does dim dewis ond ail-ymuno â'n llongau a dychwelyd i Loegr yn waglaw."

- **Rwyt ti wedi methu. Os wyt ti eisiau ail-ddechrau'r antur, tro'n ôl i 1**

12

Rwyt ti'n galw pawb at yr hwyliau. Mae'r gwynt yn codi, ond os byddi di'n gostwng yr hwyliau er mwyn bod yn ddiogel, fe fyddwch chi'n arafu. Cyn bo hir, mae'r *Swan* yn hwylio ymlaen drwy'r tonnau, ac mae'r mastiau a'r rhaffau'n griddfan dan straen.

Yn sydyn, mae sŵn cracio ofnadwy, ac mae'r prif hwylbren yn torri. Mae'r gwyliwr yn y nyth ar ben yr hwylbren yn cael ei daflu i'r môr.

Rwyt ti'n gwybod nad yw'r dyn yn gallu nofio, ac y gallai'r gwymp fod wedi'i ladd.

- **Os wyt ti'n penderfynu aros i chwilio am y dyn, cer i 23**
- **Os wyt ti'n penderfynu gadael iddo foddi a hwylio ymlaen, cer i 10**

13

"Pedro," rwyt ti'n dweud, "gofynna iddyn nhw pa long yw honna sy'n gadael yr harbwr? Os na fyddan nhw'n ateb ar unwaith, fe fyddan nhw'n marw."

Mae Pedro'n cyfieithu dy fygythiad i Sbaeneg. Mae hyn yn gwylltio'r pysgotwyr, ac mae ganddyn nhw arfau.

Mae eu harweinydd yn codi fforch ac arni dri phig – gwaywffon bysgota beryglus – ac yn ei thaflu atat. Rwyt ti'n teimlo'r pigau creulon yn trywanu dy wddf. Mae dy geg yn llenwi â gwaed ac rwyt ti'n cwympo i'r môr. Mae dy fwlian wedi rhoi taw arnat ti.

Dwyt ti'n fawr o arwr. Os wyt ti eisiau ail-ddechrau, tro'n ôl i 1

14

Rwyt ti'n llywio i gyfeiriad y llong Sbaenaidd, ac yn tanio'r gynnau blaen. Mae'r galiwn yn tanio'n ôl. Rwyt ti'n gorchymyn un o dy ddynion i anfon neges trwy ddefnyddio baneri.

"Ond at bwy ydyn ni'n anfon y neges?" mae e'n gofyn.

"Ein llongau ni sy'n dod i helpu ymosod," rwyt ti'n dweud wrtho.

"Ond does yna'r un o'n llongau ni yn dod i helpu ymosod!"

"Dyw'r Capten o Sbaen ddim yn gwybod hynny. Dwi'n gobeithio y bydd e'n cael ofn."

Nawr mae'n rhaid i ti benderfynu beth i'w wneud nesaf.

- **Os wyt ti eisiau ymosod ar y galiwn, cer i 5**
- **Os wyt ti'n penderfynu edrych fel petaet ti'n ffoi, cer i 18**

15

Rwyt ti'n gorchymyn dy ddynion i roi'r gorau i ymosod ac i rwyfo'n ôl allan i'r môr.

Rwyt ti'n aros am y ddau gwch arall. Dyw hi ddim yn hir cyn iddyn nhw ymuno â thi. Maen nhw'n llawn dynion wedi eu hanafu. Mae'r ymosodiad wedi methu.

Mae Drake yn gandryll. "Y bradwr!" mae e'n gweiddi arnat ti o'i gwch. "Mae dy lwfrdra di wedi colli'r dydd i ni. Fe wna i'n siŵr dy fod ti'n crogi am hyn!"

- **Mae dy antur ar ben.**

Os wyt ti eisiau dechrau eto, tro'n ôl i 1

16

"O'r gorau," rwyt ti'n dweud. "Mae'r llong yn rhy fawr i ni ymosod arni beth bynnag."

Mae rhai o ddynion gorau Drake yn dechrau cwyno, ond rwyt ti'n dweud wrthynt i fod yn dawel. Er hynny, am weddill y dydd rwyt ti'n gallu teimlo anfodlonrwydd y dynion am dy benderfyniad yn tyfu.

• **Cer i 2**

17

"Dydw i ddim yn llwfrgi, Capten," rwyt ti'n dweud wrtho, "ond dwi heb fod yn gyfrifol am long o'r blaen."

"Dwi'n gwybod pan fydd dyn yn barod i arwain," mae Drake yn dweud. "Fe wnest ti waith da yn yr ymosodiad ar yr harbwr. Rwy'n credu dy fod ti'n barod."

Rwyt ti'n tynnu anadl ddofn. "Os felly, Capten, rwy'n derbyn."

• **Cer i 4**

18

Rwyt ti'n troi oddi wrth y galiwn, sy'n anwybyddu dy arwyddion ac yn hwylio ymlaen. Mae'r Capten o Sbaen yn gwybod y byddet ti'n ymosod pe bai mwy o longau o Loegr ar eu ffordd.

Mewn un ymdrech olaf, rwyt ti'n troi'n ôl ac yn ymosod. Ond mae hi'n rhy hwyr i dwyllo'r Capten o Sbaen. Mae e'n barod amdanat ti.

- **Cer i 35**

19

Rwyt ti'n gorchymyn dau ddyn i fynd â Drake yn ôl i'r cychod. Rwyt ti'n parhau i ymladd, gan wthio'r Sbaenwyr yn ôl. Rwyt ti a grŵp o dy ddynion yn cyrraedd tŷ'r Rhaglaw, yn torri i mewn i'r stafell ddiogel ac yn dod o hyd i aur ac arian.

Rwyt ti'n gorchymyn dy ddynion i gario'r rhain yn ôl i'r cychod. Ond wrth i ti gamu allan o'r tŷ, rwyt ti'n clywed sŵn ymladd ffyrnig. Mae mwy o filwyr Sbaen wedi cyrraedd.

- **Os wyt ti'n gorchymyn dy ddynion i barhau i gario'r aur a'r arian, cer i 6**
- **Os wyt ti'n penderfynu ymladd, cer i 41**
- **Os wyt ti'n gorchymyn dy ddynion i ollwng y trysor a chilio, cer i 37**

20

Mae'r dynion yn codi'r barrau oddi ar un o'r hatshus. Rwyt ti'n gorchymyn clymu Pike atynt a'i chwipio. Pan wyt ti'n rhyddhau Pike, mae e'n anymwybodol ac mae ei gefn e'n goch gan waed.

- **Cer i 2**

21

Rwyt ti'n dweud wrth dy ddynion am rwyfo draw at y *Swan* gyda'r carcharorion tra byddi di'n cadw llygad ar y dynion sy'n casglu'r aur a'r arian o'r howld. Ond yn fuan wedi i'r carcharorion olaf gael eu cludo i'r *Swan*, rwyt ti'n clywed sgrechiadau a sŵn ymladd.

Rwyt ti'n edrych draw dros y dŵr mewn braw. Mae'r carcharorion wedi trechu dy griw ac wedi cipio'r *Swan*. Mae gynnau'r llong yn cael eu hanelu atat ti. Mae popeth wedi newid. Rwyt ti wedi methu, pan oeddet ti bron iawn â llwyddo.

- **Os wyt ti eisiau dechrau'r antur eto, tro'n ôl i 1**

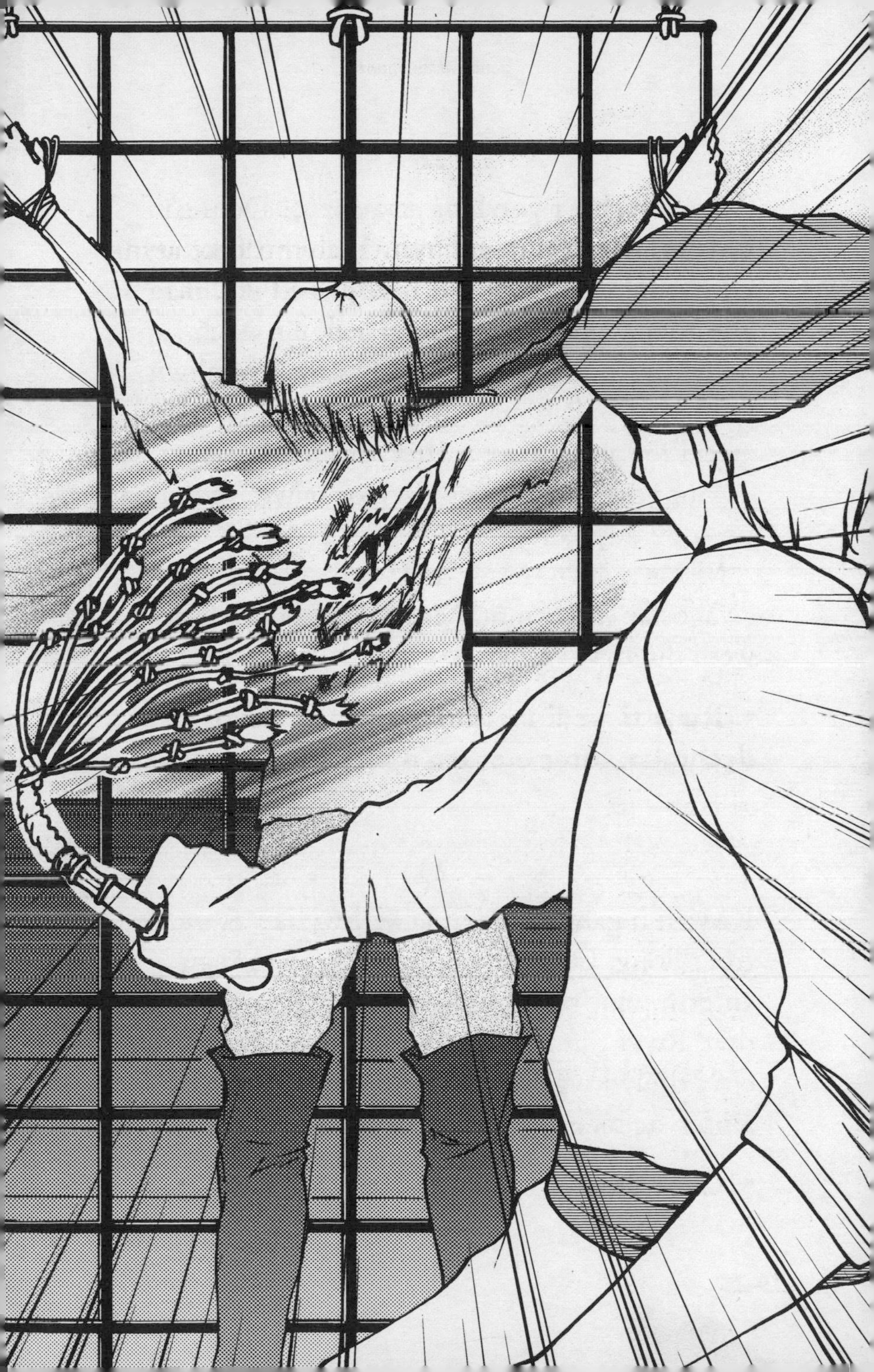

22

Rwyt ti'n rhoi'r gorchymyn i danio. Does gan forwyr Sbaen ddim gobaith. Mae'r ymosodiad yn ffyrnig, a chyn bo hir mae gwaed yn llifo i bob man, gan staenio ochrau'r llong.

Ond yna, mae storfa powdwr gwn y galiwn yn ffrwydro. Pan mae'r mwg yn clirio, rwyt ti'n gweld fod y llong wedi ffrwydro'n ddarnau.

"Sut ydyn ni am gael y trysor nawr?" gofynna un o dy ddynion.

Mae e'n iawn. Mae'r aur wedi chwalu ymhell ac agos ar wely'r môr. Mae dy greulondeb di wedi difetha'r ymgyrch.

- **Rwyt ti wedi methu. Os wyt ti eisiau dechrau'r antur eto, tro'n ôl i 1**

23

Rwyt ti'n galw pob dyn at yr hwyliau ac yn troi'r llong. Ond yn y tywyllwch a'r tonnau anferth, mae'n amhosibl dod o hyd i'r dyn yn y dŵr. Rwyt ti'n rhoi'r gorau i chwilio ac yn troi eto i ddilyn y galiwn – ond rwyt ti wedi colli amser, ac mae'r galiwn wedi mynd o'r golwg.

- **Cer i 28**

24

Mae Drake yn gandryll pan mae e'n clywed am dy greulondeb di tuag at y caethweision.

"Byddai'r dynion yna wedi gallu ein helpu ni," mae e'n gweiddi. "Fe wnest ti eu llofruddio nhw am ddim rheswm. Fe gei di dy anfon yn ôl adref mewn cadwyni am dy drosedd!"

- **Cywilydd arnat ti. Mae dy antur ar ben. Os wyt ti eisiau dechrau eto, tro'n ôl i 1**

25

Ar ôl helfa hir, rwyt ti'n llwyddo i ddal y galiwn. Mae hi'n fwy o lawer, a chanddi fwy o arfau trwm na'r *Swan*, ac rwyt ti'n gwybod y bydd yna lawer mwy o ddynion ar ei bwrdd.

Rwyt ti i fod i rwystro'r llong rhag ymuno â gweddill llynges Sbaen yn Havana. Mae'n rhaid i ti benderfynu beth yw'r ffordd orau o wneud hynny.

- **Os wyt ti'n penderfynu mynd ar fwrdd y llong a brwydro un yn erbyn un er mwyn ei chipio, cer i 48**
- **Os wyt ti'n penderfynu brwydro gan ddefnyddio dy ganonau, cer i 35**
- **Os wyt ti'n penderfynu dilyn y llong ac aros am gyfle gwell i ymosod arni, cer i 3**

26

Gan roi'r gorau i guddwisg eich llong, rydych chi'n dilyn y galiwn o Sbaen trwy Gulfor Fflorida. Rydych chi'n brin o fwyd a dŵr. Os bydd y galiwn yn cyrraedd y môr agored, fe fydd hi'n hawdd i'r llong ddianc.

Mae arfordir Fflorida ar y chwith, ac Ynysoedd y Bahama ar y dde. A ddylet ti ymosod ar y galiwn nawr, neu wyt ti am drio un twyll arall?

- **Os wyt ti'n penderfynu ymladd, cer i 35**
- **Os wyt ti'n penderfynu ceisio twyllo'r capten o Sbaen, cer i 14**

27

"O'r gorau," rwyt ti'n dweud, "dewch gyda ni." Mae'r caethweision yn eich dilyn i'r cychod. Mae dy ddynion yn rhwyfo oddi wrth y lan ac yn cwrdd â Chapten Drake.

Pedro yw enw arweinydd y caethweision. Mae e'n egluro ei fod e a'i ddynion wedi'u cipio gan y Sbaenwyr yn Affrica a'u cludo i America i weithio yno. Mae Capten Drake wrth ei fodd. "Dyma'r math o ddynion yr ydyn ni eu hangen. Maen nhw'n adnabod y wlad, ac fe fyddan nhw'n gallu dweud wrthym ni beth yw cynlluniau'r Sbaenwyr."

Rydych chi'n codi'r hwyliau ac yn dechrau eich siwrne draw i Borthladd Digonedd.

- **Cer i 8**

28

Gyda'r wawr, rwyt ti'n siomi wrth weld fod y galiwn wedi mynd yn bellach i ffwrdd dros nos. Rwyt ti'n codi mwy o hwyliau er mwyn dal i fyny â hi, ond erbyn iddi nosi, mae'r galiwn yn cyrraedd harbwr Havana. Dwyt ti ddim yn gallu ei dilyn gan fod gynnau cestyll y Sbaenwyr yn amddiffyn y llynges drysor. Fe fydd yn rhaid i ti ddychwelyd i Borthladd Digonedd.

- **Rwyt ti wedi methu. Os wyt ti eisiau dechrau'r antur eto, tro'n ôl i 1**

29

Yn araf, rydych chi'n dechrau nesáu at y llong o Sbaen. Rwyt ti'n poeni'n fawr. Os mai dyma'r llong anghywir, fe fydd y galiwn drysor wedi'ch gweld chi'n mynd ar ei hôl hi. Byddant yn siŵr o gadw'n glir oddi wrthych chi, a fydd yna fawr o siawns o ddod o hyd iddi wedyn.

Ond wrth i chi agosáu, mae Pedro'n pwyntio ati. "Rwy wedi gweld y llong yna o'r blaen, Capitán. Y llong drysor yw hi, yn sicr."

Mae hynny'n newyddion da iawn i ti. Mae dy fenter wedi talu ar ei chanfed.

- **Cer i 25**

30

Rwyt ti'n dweud wrth dy ddynion i ddod â'r aur a'r arian o'r howld a'i lwytho i'r cychod. Ond mae'r carcharorion o Sbaen yn gwrthryfela. Maen nhw'n gorchfygu dy ddynion yn gyflym.

Mae'r Capten o Sbaen yn gwenu'n gas arnat ti. "Mae hi ar ben arnat ti nawr! Bydd dynion Sbaen yn cymryd eich cychod ac yn cipio eich llong fechan. Dw i ddim yn garcharor i ti nawr – ti yw fy ngharcharor i!"

Mae dy antur ar ben. Rwyt ti wedi methu ar y cam olaf.

- **Os hoffet ti ddechrau eto, tro'n ôl i 1**

31

Rwyt ti'n dweud wrth dy ddynion i rwyfo'n galed i gyfeiriad y traeth. Rwyt ti'n arwain dy ddynion ar draws y traeth, gan geisio osgoi cawod o fwledi mwsged. Daeth milwyr Sbaen allan o'u baracs i amddiffyn y dref.

Rwyt ti'n clywed gwaedd o boen. Mae Capten Drake yn cwympo, gan ddal ei goes.

- **Os wyt ti'n penderfynu rhoi'r gorau i'r ymosodiad, cer i 15**
- **Os wyt ti'n penderfynu achub Drake, cer i 19**

32

Gyda'r wawr, rwyt ti'n gweld eich bod chi wedi pasio'r galiwn. Rwyt ti'n dweud wrth y criw i baratoi i ymosod.

Wrth i'r llong o Sbaen ddod o fewn cyrraedd, rwyt ti'n gorchymyn tanio'r gynnau!

Cer i 35

33

"Diolch, Pedro," rwyt ti'n dweud. "Fe fydd dy ddynion di yn ddefnyddiol iawn." Mae Pedro'n gwenu'n gas. "Fe wnaeth y Sbaenwyr ni yn gaethweision. Fe wnawn ni eu hymladd nhw hyd y diwedd."

Mae cwch yn mynd â chi draw at y *Swan*. Rwyt ti'n gofyn i'r boswn os yw'r llong yn barod i hwylio.

"Mae'n ddrwg gen i, Capten," yw ei ateb, "Rydyn ni'n dal i lwytho'r nwyddau."

Rwyt ti'n gwybod na allwch chi aros allan ar y môr yn hir heb fwyd a diod, ac allwch chi ddim ymladd heb bowdwr gwn a siot, ond mae amser yn brin.

- **Os wyt ti eisiau gorffen llwytho'r nwyddau, cer i 42**
- **Os wyt ti'n penderfynu gadael ar unwaith, cer i 36**

34

Rwyt ti a'r criw yn rhwyfo i'r dŵr bas ac yn gorchymyn i'r galiwn ildio i chi. Mae'r Capten o Sbaen yn moesymgrymu. Does ganddo ddim dewis.

Mae gan y galiwn griw llawer mwy na dy griw di. Rhaid i ti benderfynu beth i'w wneud gyda'r carcharorion tra byddi di'n dadlwytho'r aur a'r arian o'r howld a'i roi yn y *Swan*.

• Os wyt ti eisiau cadw'r carcharorion ar fwrdd y galiwn, cer i 30
• Os wyt ti eisiau eu rhoi ar fwrdd y *Swan*, cer i 21
• Os wyt ti'n penderfynu eu hanfon i ynys gyfagos, cer i 44

35

Rydych chi'n tanio'r gynnau blaen, ond dyw'r peli canon ddim yn cyrraedd yn ddigon pell, ac maen nhw'n cwympo i'r dŵr. Mae'r gynnau ar long Sbaen yn gryfach o lawer, ac mae'r peli'n rhwygo eich llong. Mae rhaffau a blociau'n disgyn ym mhobman. Mae'r hwyliau'n rhubanau blêr. Mae'r *Swan* yn dechrau suddo.

Cyn i ti gael cyfle i orchymyn i'r dynion adael y llong, rwyt ti'n teimlo poen siarp wrth i belen mwsged rwygo trwy dy gorff. Mae gwaed yn llifo i bobman wrth i ti gwympo i'r dec ac mae'r düwch yn dy drechu.

- **Rwyt ti wedi methu. Os wyt ti eisiau dechrau'r antur eto, tro'n ôl i 1**

36

"Does gennym ni ddim amser i'w wastraffu!" rwyt ti'n bloeddio. "Rhaid i ni adael gweddill y nwyddau. Codwch yr hwyliau ar unwaith!"

Rydych chi'n hwylio i Nombre de Dios, ond yn gweld fod y llong o Sbaen yn cael ei gwarchod yn dda. Allwch chi ddim ymosod arni gyda'ch cychod, a does gennych chi ddim digon o bowdwr gwn a siot ar y llong i danio'r gynnau.

Does gennyt ti ddim dewis ond dychwelyd i Borthladd Digonedd a gorffen llwytho'r nwyddau.

• **Cer i 42**

37

Rwyt ti'n dweud wrth dy ddynion i fynd yn ôl yn drefnus. Mae rhai o dy ddynion yn tanio eu mwsgedau er mwyn eich gwarchod. Mae'r dynion yn clirio llwybr yn ôl at y cychod gyda'u cleddyfau a'u bwyeill. Wrth i ti baratoi i lansio dy gwch, mae grŵp o ddynion carpiog yn ymddangos o'r coed. Nid Sbaenwyr nag Indiaid yw'r rhain, ond dynion du. Mae un o'r dynion yn camu ymlaen. "Amigo, roedden ni'n gaethweision. Rydyn ni wedi dianc oddi wrth y Sbaenwyr. Gadewch i ni ddod gyda chi. Fe wnawn ni eich helpu i ymladd!"

Dwyt ti ddim yn gallu bod yn siŵr a yw'r dyn yn dweud y gwir. Ai twyll gan y Sbaenwyr yw hyn?

- **Os wyt ti'n penderfynu ymddiried ynddo, cer i 27**
- **Os wyt ti'n credu mai twyll yw hyn, cer i 45**

38

Pan maen nhw'n sylweddoli dy fod ti'n cynnig pris teg am eu pysgod, mae'r pysgotwyr yn gyfeillgar. Gyda Pedro'n cyfieithu, maen nhw'n dweud mai'r galiwn drysor yw'r llong sydd newydd adael, ar ei ffordd i Havana. Rwyt ti'n diolch iddyn nhw, ac yn mynd yn ôl i'r *Swan*. Rwyt ti'n sicr nawr dy fod ti ar drywydd aur Sbaen – ac mae gan dy griw bysgod ffres i swper.

• **Cer i 25**

39

Rwyt ti'n dweud wrth Pedro beth i'w ddweud.

"Croeso i chi yrru cwch aton ni," mae e'n galw, "ond byddwch yn ofalus, mae'r dwymyn felen ar fwrdd y llong. Mae Havana'n llawn o'r salwch!"

Mae'r capten o Sbaen yn rhegi. Does arno fe ddim eisiau'r salwch marwol ar fwrdd y galiwn. Mae e'n troi oddi wrth eich llong – ac oddi wrth Havana! Mae'r twyll wedi llwyddo.

Rwyt ti'n dilyn, gan gadw hwyliau'r galiwn yn y golwg ar y gorwel.

• **Cer i 26**

40

"Pike," rwyt ti'n dweud, "rwyt ti'n forwr da. Fe ddylwn i dy grogi di am wrthryfela: ond os ydyn ni am gipio'r galiwn, mae angen pob dyn arna i. Gwna dy ddyletswydd o hyn ymlaen, a chofia mai dim ond un capten sydd ar y llong yma."

Mae Pike yn cyffwrdd â'i dalcen ac yn rhoi saliwt. "Iawn, Capten. Diolch, syr."

- **Cer i 46**

41

Rydych chi'n ymosod ar y milwyr Sbaenaidd newydd, ond mae gormod ohonyn nhw. Er i chi ymladd yn ddewr, mae rhai o dy ddynion yn cael eu lladd.

Rwyt ti'n sylweddoli y bydd pob un o dy ddynion yn cael eu lladd os ydych chi'n parhau i frwydro. Rwyt ti'n gorchymyn iddyn nhw fynd yn ôl at y cychod.

- **Cer i 37**

42

Cyn gynted ag y mae'r nwyddau wedi eu llwytho, rydych chi'n hwylio. Ond wrth i chi agosáu at Nombre de Dios, rwyt ti'n gweld llong yn gadael. Ai'r llong drysor yw hon, neu long wahanol?

- **Os wyt ti'n penderfynu mai'r llong drysor yw hon, ac eisiau ei dilyn ar unwaith, cer i 29**
- **Os wyt ti'n penderfynu holi rhywun i weld pa long yw hi, cer i 47**

43

Mae dy ddynion yn camu ymlaen ac yn cydio yn Pike. Mae ei ffrindiau'n grac, ond wrth weld dy ddynion yn estyn am eu cleddyfau, maen nhw'n tawelu.

Fel capten y llong, mae gen ti'r hawl i gosbi Pike. Mae'n esiampl amlwg o wrthryfela. Mae Pike yn euog. Nawr mae'n rhaid i ti ddedfrydu.

- **Os wyt ti'n penderfynu crogi Pike, cer i 7**
- **Os wyt ti'n penderfynu ei chwipio, cer i 20**
- **Os wyt ti'n penderfynu ei rybuddio a'i ryddhau, cer i 40**

44

Rwyt ti'n gadael y criw o Sbaen ar ynys gyfagos gyda digon o fwyd a diod o'u storfeydd eu hunain. Rwyt ti'n defnyddio tri charcharor i helpu llwytho'r aur a'r arian; yn nes ymlaen, rwyt ti'n eu hanfon i Havana mewn cwch gyda neges i awdurdodau Sbaen gasglu'r carcharorion o'r ynys.

Rwyt ti'n dychwelyd i Borthladd Digonedd gyda'r trysor. Yna, rwyt ti'n mynd i gwrdd â Chapten Drake. Fe ymosododd e ar yr asynnod ac mae e wedi cipio llawer iawn o aur ac arian. Mae e wrth ei fodd yn clywed am dy lwyddiant.

"Dere," mae e'n dweud wrthyt. "Dringa'r goeden hon gyda mi." Rwyt ti'n dringo, er nad wyt ti'n deall pam. O'r canghennau uchaf, rwyt ti'n gweld rhimyn o ddŵr glas disglair.

"Dyna'r Môr Tawel," mae Drake yn dweud wrthyt. "Does yna'r un Sais na Chymro wedi hwylio'r môr yna erioed. Ond fe wna i, ac fe fyddi di'n ei hwylio gyda mi. Ond yn gyntaf, rhaid i ni ddychwelyd adre."

- **Cer i 50**

45

"Y celwyddgi!" rwyt ti'n gweiddi. "Ysbiwyr Sbaen ydych chi. Lladdwch nhw, ddynion!"

Mae dy ddynion yn ufuddhau, a chyn bo hir, mae'r carcharorion druan yn gorwedd yn farw ar y tywod.

Rwyt ti'n camu ar fwrdd dy gwch ac yn dychwelyd i Borthladd Digonedd.

• **Cer i 24**

46

Mae'r *Swan* yn agos iawn at y galiwn nawr. Mae arfordir Ciwba ar y chwith, a dyfroedd bas peryglus Cefnen Fawr y Bahama ar y dde.

Wrth iddi ddechrau nosi, rhaid i ti benderfynu os wyt ti am barhau i ddilyn y galiwn, neu godi rhagor o hwyliau. Byddai hynny'n beryglus: yn y tywyllwch, fe allet ti ddryllio'r llong. Ond os wyt ti'n lwcus, fe allet ti basio'r galiwn a'i rhwystro cyn iddi gyrraedd Havana.

• **Os wyt ti'n penderfynu parhau i ddilyn y galiwn, cer i 28**
• **Os wyt ti'n penderfynu ceisio pasio'r galiwn, cer i 12**

47

Rwyt ti'n sylwi ar gwch pysgota yn taflu ei rwydi'n agos at y lan. Rwyt ti'n penderfynu gofyn i'r pysgotwyr ai'r galiwn drysor yw'r llong sy'n gadael y porthladd.

Rwyt ti'n mynd i mewn i gwch bach ac yn rhwyfo draw at y pysgotwyr. Rwyt ti'n ceisio penderfynu sut i holi'r pysgotwyr.

- **Os wyt ti'n penderfynu eu bygwth, cer i 13**
- **Os wyt ti'n penderfynu prynu eu pysgod a bod yn gwrtais, cer i 38**

48

Mae eich llong yn taro'r galiwn gyda sŵn crafu byddarol. Rwyt ti'n arwain dy ddynion, gan weiddi a bloeddio, ar fwrdd y galiwn.

Ond mae'r llong o Sbaen yn llawn dynion arfog. Rydych chi'n ymladd yn ddewr, ond mae dy ddynion yn cwympo o dy amgylch, un ar ôl y llall. Rwyt ti'n sylweddoli mai camgymeriad oedd dod ar fwrdd y galiwn. Y foment honno, mae'r Capten Sbaenaidd yn hyrddio'i gleddyf trwy dy ganol.

- **Mae dy antur ar ben. Os wyt ti eisiau ail-ddechrau, tro'n ôl i 1**

49

Rwyt ti'n gorchymyn dy ddynion i wneud i'r *Swan* ymddangos fel llong o Sbaen. Mae'r dyn gwneud hwyliau yn gwnïo baner, ac rwyt ti'n dweud wrth dy ddynion am baentio croesau coch ar yr hwyliau sbâr, sy'n cael eu codi yn lle'r rhai arferol.

Erbyn y bore, mae'r criw wedi blino'n lân. Ond rwyt ti wedi llwyddo i basio'r llong Sbaenaidd, a nawr rwyt ti'n troi tuag ati fel petaet ti'n dod o gyfeiriad Havana. Mae Pedro'n gwisgo dy got capten, ac yn tynnu sylw'r capten o Sbaen.

"Os ydych chi'n chwilio am y llynges drysor, fe hwyliodd hi ddoe. Fe allwch chi ei dal hi yng Nghulfor Fflorida os brysiwch chi."

Mae'r Capten o Sbaen yn ddrwgdybus. Mae e'n gweiddi ei fod e am ddanfon cwch draw atoch. Os daw'r cwch yn agos, fe fydd e'n darganfod eich twyll.

- **Os wyt ti'n penderfynu bod rhaid brwydro, cer i 35**
- **Os wyt ti'n penderfynu defnyddio twyll arall, cer i 39**

50

Rwyt ti'n dod yn ôl i Borthladd Digonedd ac yn hwylio am adref gyda'r howld yn llawn o aur ac arian. Rwyt ti'n cyrraedd Plymouth ym mis Awst 1573. Mae cychod bach yn rhwyfo allan i gwrdd â chi. Mae clychau'r eglwysi'n canu i ddathlu. Mae'r cestyll sy'n gwarchod yr harbwr yn tanio gynnau i'ch cyfarch.

Rwyt ti a Chapten Drake yn teithio i Lundain ble mae'r Frenhines Elisabeth yn dy groesawu i Balas San Steffan.

"Mae'r wlad gyfan yn diolch i ti," mae hi'n dweud. "Bydd yr aur rwyt ti wedi'i gipio'n helpu i gadw ein gwlad yn ddiogel rhag Brenin Sbaen. Rwyt ti'n arwr!"

Os wyt ti wedi mwynhau darllen

Arwr y Môr-ladron

mae rhagor o deitlau yn

y gyfres Arwr.

Arwr y Gofod
978-1-904357-68-1

Arwr yr Ail Ryfel Byd
978-1-904357-70-4

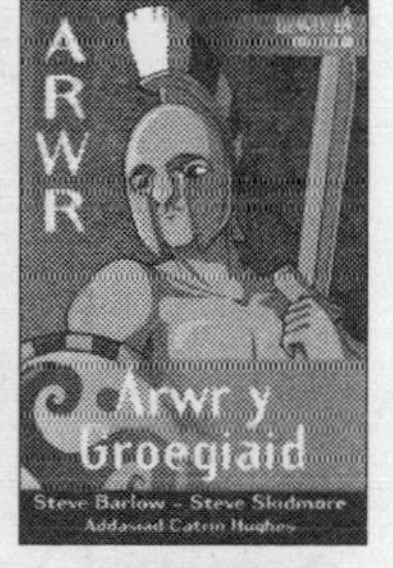

Arwr y Groegiaid
978-1-904357-72-8

Arwr y Llychlynwyr
978-1-904357-71-1

Arwr yr Ymerodraeth
978-1-904357-73-5

Arwr y Rhufeiniaid
978-1-904357-74-2

ARWR
Arwr y Tîm Taro
Steve Barlow - Steve Skidmore
Addasiad Catrin Hughes

Arwr y Tîm Taro
978-1-904357-75-9

---

www.rily.co.uk

Arwr yr Ymerodraeth

Steve Barlow - Steve Skidmore

Darluniau gan Sonia Leong

Addasiad gan Catrin Hughes

Mae hi'n fis Medi 1851. Rwyt ti'n dditectif preifat enwog sy'n byw yn Llundain. Pan fydd heddlu Scotland Yard yn methu â datrys trosedd, fe fyddan nhw bob amser yn gofyn i ti helpu.

Mae'r Frenhines Fictoria ar yr orsedd a'r Ymerodraeth Brydeinig yw'r fwyaf yn y byd. Ond mae hi'n gyfnod o dyndra mawr rhwng ein gwlad ni a Rwsia.

Mae hi hefyd yn flwyddyn yr Arddangosfa Fawr – arddangosfa sydd wedi'i threfnu er mwyn arddangos pŵer ein gwlad. Mae miloedd o bobl o bob rhan o'r byd wedi ymweld â hi.

Mae hi bron yn hanner nos ac rwyt ti'n darllen yn dy ystafell pan ddaw cnoc ar y drws. Tybed pwy all fod yn galw mor hwyr y nos?

ARWR
DEWIS DY DYNGED
Arwr yr Ymerodraeth
Steve Barlow - Steve Skidmore
Addasiad Catrin Hughes